Caroline Merola

# Ulysse
# et
# la reine
# des pestes

Illustrations
de Caroline Mer~

la courte échelle

Les éditions de la courte échelle inc.
5243, boul. Saint-Laurent
Montréal (Québec) H2T 1S4

Directrice de collection:
Annie Langlois

Révision:
Sophie Sainte-Marie

Conception graphique:
Elastik

Mise en pages:
Pige communication

Dépôt légal, 1er trimestre 2006
Bibliothèque nationale du Québec

La courte échelle reconnaît l'aide financière du gouvernement du Canada par l'entremise du Programme d'aide au développement de l'industrie de l'édition pour ses activités d'édition. La courte échelle est aussi inscrite au programme de subvention globale du Conseil des Arts du Canada et reçoit l'appui du gouvernement du Québec par l'intermédiaire de la SODEC.

La courte échelle bénéficie également du Programme de crédit d'impôt pour l'édition de livres — Gestion SODEC — du gouvernement du Québec.

**Catalogage avant publication de Bibliothèque et Archives Canada**

Merola, Caroline

Ulysse et la reine des pestes

(Mon roman; MR24)

ISBN 2-89021-840-6

I. Titre.  II. Collection.

PS8576.E735U49 2006          jC843'.54          C2005-942239-4
PS8576.E735U49 2006

Imprimé au Canada

## Caroline Merola

Née à Montréal, Caroline Merola a étudié à l'École des beaux-arts de l'Université Concordia. Aujourd'hui, elle est auteure et illustratrice de livres jeunesse et de bandes dessinées, et elle travaille pour différentes maisons d'édition du Québec et des États-Unis.

Caroline Merola est souvent invitée, pour parler de son travail et de la bande dessinée, dans des salons et des festivals au Canada et en Europe, ainsi que dans des bibliothèques et des écoles où elle rencontre des groupes de jeunes.

À la courte échelle, elle signe à la fois le texte et les illustrations de la série Coco Bonneau, comme elle l'a fait pour les albums *Le trésor du bibinocolendi*, paru dans la série Il était une fois, et *L'île aux monstres*. Elle est également l'illustratrice des romans de la série Soazig de Sonia Sarfati, ainsi que de quelques albums de la série Il était une fois.

Dans ses temps libres, Caroline aime lire des romans policiers et jouer avec ses enfants, Béatrice et Olivier.

**De la même auteure, à la courte échelle**

**Collection Albums**

*L'île aux monstres*

Série Il était une fois :
*Le trésor du bibinocolendi*

**Collection Premier Roman**

Série Coco Bonneau :
*Coco Bonneau, le héros*
*La magie de Tonie Biscotti*
*La trahison de Laurent Lareau*
*Les mystérieuses figurines*

Caroline Merola

# Ulysse et la reine des pestes

Illustrations
de Caroline Merola

la courte échelle

*Pour Charlotte,*
*la reine des soies*

# Chapitre 1

# La bande
# à Odette

Vue de loin, la ferme de M. Henri semble paisible et souriante. Sa toiture rouge, son potager ensoleillé, ses animaux tranquilles et bien élevés : tout respire l'harmonie.

Si on ne fait que passer, oui, vraiment, l'endroit est charmant.

Mais prenez la peine de vous arrêter. Observez et écoutez. Vous découvrirez à quel point cette apparence est trompeuse. Et qu'à l'ombre des pommiers en fleurs se jouent parfois mille petits drames.

L'âne Ulysse pourrait en témoigner le premier.

Laissez-moi vous conter sa mésaventure.

Les ânes ont la réputation d'être têtus. En réalité, la plupart sont simplement orgueilleux et détestent qu'on leur dise quoi faire. Par contre, ils sont bourrus et peu causants.

Ulysse, non. Il est aimable et prévenant avec tout le monde, toujours gentil et de bonne humeur. La seule chose qu'on pourrait lui reprocher, c'est sa grande naïveté.

Ulysse est convaincu que les poules en chocolat pondent des œufs en chocolat. Il croit que le lapin de Pâques s'appelle Raoul et vit dans une ferme voisine.

Pire, il est persuadé que les kangourous sont une race de lapins géants qui se nourrissent de koalas !

N'importe quoi !

Qui, croyez-vous, lui a farci la tête de pareilles idioties ? Les poules, bien entendu !

Profitant de la candeur de l'âne, elles inventent des tas d'histoires absurdes. Et

lui, bonne pâte, se régale de leur conver-
sation colorée.

* * *

Ce matin encore, tout en picorant
au soleil, les poules surveillent l'arrivée
d'Ulysse.

— Tiens, fait Eveline la rousse, voilà
ce grand dadais d'Ulysse.

— Il a l'air très excité, remarque la
grosse Marushka.

— Peut-être a-t-il vu le kangourou de Pâques, glousse Odette.

Tout le poulailler s'esclaffe.

— Bonjour, mesdames ! lance Ulysse. Vous êtes bien gaies, aujourd'hui.

— Comme tous les matins, mon lapin, pouffe Odette. Alors, quoi de neuf ?

— Pour une fois, mes amies, c'est moi qui ai quelque chose à vous annoncer.

Les poules se redressent, attentives.

— À nous annoncer ? répète Odette. Que se passe-t-il donc ?

— Oui, raconte vite ! supplie Jessica. S'il existe une chose aussi délicieuse que le bon grain, c'est bien le dernier potin !

— Voilà, commence Ulysse, depuis ce matin, nous avons une nouvelle pensionnaire à la ferme.

— Oooh ! s'exclament en chœur les poules. Une pensionnaire !

— À poils ou à plumes ? s'informe Manon.

—À poils, bien sûr, sourit Ulysse. C'est une jeune jument. Je suis allé la saluer tantôt. Elle s'appelle Marjorie. Elle est née aux États-Unis. Et, vraiment, elle est très gentille. Elle connaît plein de choses. Je crois…

Ulysse s'interrompt. N'est-il pas un peu tôt pour révéler son secret à tout le poulailler ?

Pour avouer que, dès qu'il a vu Marjorie, son cœur s'est arrêté de battre ? Qu'il a senti ses sabots ramollir et ses oreilles se chiffonner ?

Pour avouer qu'il est amoureux de la petite jument ?

Peut-être vaudrait-il mieux attendre, avant de se déclarer, de connaître ses sentiments à elle ?

— Que disais-tu, Ulysse ? Tu es tout rouge, ricane Jessica.

— Je... J'aimerais devenir son ami.

— Tu pourras être son ami, sans doute, admet Odette.

Mais pas davantage.

— Que veux-tu dire ? demande l'âne.

Les poules échangent un regard furtif.

— Voyons, Ulysse, tu le sais, pourtant. Une jument ne pourrait pas sérieusement s'intéresser à toi.

— Pourquoi pas ?

Odette fait semblant d'hésiter.

— Eh bien, c'est connu. Les juments se pensent supérieures aux ânes. Elles n'accepteraient jamais, par exemple, d'en épouser un. Ce serait indigne d'elles.

L'âne est stupéfié. Il bafouille :

— En quoi les chevaux seraient-ils mieux que nous ?

— Comprenons-nous bien, Ulysse. Nous ne partageons pas cette opinion. Mais les chevaux, eux, se croient plus beaux, plus intelligents.

— Je ne voudrais pas te vexer, ajoute Marushka, mais souviens-toi de Jim, le cheval blanc qui était parmi nous l'année dernière. Quelle élégance, quelle noble prestance !

—Quel air bête, oui ! rétorque Ulysse. C'était l'animal le plus prétentieux que j'ai jamais rencontré.

—Ne te fâche pas, mon grand. On veut simplement t'éviter de te ridiculiser. Tu pourrais nourrir de faux espoirs.

Ulysse baisse tristement la tête. Pour la première fois de sa vie, il se sent idiot et moche. Il s'apprête à quitter la basse-cour, penaud et silencieux, quand Odette, la rusée Odette, le rappelle.

— Attends, mon bon Ulysse. Je vois peut-être une solution.

Toutes les poules tendent l'oreille, fébriles. Si Odette a une idée, c'est qu'on va bien s'amuser !

# Chapitre 2

# Le grand projet

L'âne revient sur ses pas.

— Une solution pour quoi ? demande-t-il innocemment à Odette.

— Si tu veux plaire à ta belle, mon grand, deviens un cheval.

— Hein ? Un cheval ?

— C'est très simple. Crois-moi, ce ne serait pas la première fois que nous aidons un âne à devenir un cheval. N'est-ce pas, les filles ? ajoute Odette en clignant de l'œil.

— Oh oui, oui! C'est très simple, affirment les poules à l'unisson.

— C'est vrai? C'est simple? s'étonne Ulysse.

— Je te le jure. Si la chose t'intéresse, viens nous voir dans une heure. Nous aurons tout préparé. D'accord?

Ulysse est un peu abasourdi. Les poules sont donc si savantes?

— Vous êtes gentilles, mes amies. Je… je vais y songer.

— À tout à l'heure, Ulysse.

L'âne retourne vers son champ. Il est troublé, ses idées se bousculent. Il n'avait jamais envisagé de devenir un cheval. Il s'était toujours trouvé grand et fort. Il était fier de ses longues oreilles.

Mais voilà que les poules lui ont embrouillé les sentiments. Il n'ose plus aller vers Marjorie. Elle a dû bien rigoler, ce matin, quand il est allé lui souhaiter la bienvenue.

Un âne faisant le fier auprès d'une jument…

Quelle prétention !

Tout à ses pensées, il n'entend pas la petite voix qui l'appelle. Une petite voix qui semble venir du haut des airs.

— Psitt ! Ulysse ! Ici, dans l'arbre !

Ulysse lève les yeux. Un écureuil s'agite sur une branche de prunier. Il a une bonne tête intelligente et un pelage lustré et fourni.

— Pardonne-moi, dit l'écureuil en souriant, j'ai tout entendu. Je suis Manu le velu. Je vis dans le boisé, là-bas, mais je traîne souvent autour de votre ferme. Il y a toujours de bonnes choses à manger. Tu sais, je suis très discret. Pourtant, je vous connais tous.

— Que me veux-tu ? demande l'âne, surpris.

— Permets-moi de te donner mon avis sur l'affaire qui te préoccupe. Méfie-toi de la bande des poules. Elles ont trop de temps libre, elles sont devenues de terribles mégères. Je les ai vues plus souvent qu'autrement jouer de vilains tours. Et puis…

Ulysse l'interrompt, les naseaux frémissants d'indignation.

— Pour qui te prends-tu ? Qu'est-ce qu'une petite bête sauvage comme toi connaît de la vie à la ferme ?

Manu ouvre de grands yeux étonnés.

— Je… je ne voulais pas t'insulter, mille noisettes ! Je ne désirais que t'aider. Puisque tu réagis ainsi, tant pis ! Mais tu ne devrais pas prêter l'oreille à ce que tout un chacun raconte. Se laisser influencer par tout le monde, c'est aller au-devant des ennuis.

— C'est ça, bougonne Ulysse. Mêle-toi plutôt de tes affaires.

— Je t'aurai prévenu, voilà !

Et en trois bonds agiles, Manu disparaît dans le feuillage de l'arbre.

L'âne se secoue l'encolure. Ce n'est pas son genre d'être aussi peu courtois. Mais l'écureuil est arrivé à un mauvais moment.

« Plus tard, j'irai m'excuser », songe Ulysse.

\* \* \*

Marjorie, la petite jument, fait quelques pas hors de l'écurie. Elle regarde timidement autour d'elle. Où est donc l'âne si aimable qui lui a parlé plus tôt? Personne d'autre que lui n'est encore venu la voir.

Marjorie est seule et elle s'ennuie.

À l'autre bout du champ, n'osant pas s'approcher davantage, Ulysse l'observe tristement.

«C'est vrai qu'elle est trop bien pour moi, pense-t-il. Les poules ont raison.»

Sa décision est prise. Il deviendra un cheval.

# Chapitre 3

# Un âne...
# ou un cheval ?

Quand Ulysse retourne vers la basse-cour, le soleil est haut dans le ciel. L'heure du repas approche. Pourtant, l'âne n'a pas faim. Il est à la fois curieux et inquiet.

Comment les poules vont-elles s'y prendre pour lui faire pousser le crin ? Faudra-t-il attendre longtemps ? Car une belle crinière et une longue queue sont peut-être les deux seules choses que l'âne envie aux chevaux.

Mais ses oreilles ? Ses grandes et magnifiques oreilles ?

« Bah ! Je ne devrais pas me tracasser, songe Ulysse. Mes amies sont pleines de sagesse et d'expérience. Et si gentilles de vouloir m'aider ! »

Puis il pense avec tendresse à Marjorie.

« Elle me trouvera beau, c'est ce qui compte. »

\* \* \*

Pas une seule poule n'a voulu manquer ce rendez-vous. Elles caquettent, piaillent et s'activent en se bousculant.

Enfin, tout est prêt !

Et voici justement Ulysse qui s'amène.

— Bonjour, mon grand ! s'écrie Odette, tout excitée. Approche, viens jusqu'ici !

Ulysse découvre ce que les poules ont préparé.

Des filaments de paille et du charbon sont entassés contre le mur du poulailler. Un outil brillant est posé à côté.

— Qu'est-ce que c'est, ce machin ? s'informe l'âne.

— Tu verras en temps et lieu, Ulysse. Maintenant, laisse travailler les professionnelles. Ne bouge plus.

Alors, comme dans un ballet parfaitement orchestré, les poules commencent la transformation.

À l'aide d'un petit tabouret, Odette, Jessica et Maria montent et descendent du dos de l'animal. Chaque fois, elles emportent un nouveau brin de paille. Elles le fixent habilement à même les poils drus de la tête de l'âne.

Pendant ce temps, Manon et Marushka s'affairent à attacher un bouquet de foin jaune autour de la queue.

Trois autres poules attrapent chacune un morceau de charbon.

— Reste parfaitement immobile, ordonne Eveline. Ton poil gris fait un peu minable et pas du tout «tendance». Nous allons te fabriquer un fabuleux pelage noir.

Docile et stoïque, l'âne endure mille
misères. Les volatiles lui frottent les pattes,
le ventre et l'encolure avec les charbons
rugueux.

— Retiens ton souffle, Ulysse. Et ferme les yeux. On termine avec la tête.

— D'accord, mais allez-y doucement, les filles. J'ai la peau sensible autour des naseaux.

Ulysse, plongé dans son rêve de beauté, n'entend pas les poules chuchoter et ricaner.

À quelques pas, pourtant, tapi dans le feuillage d'un pommier, un petit malin observe toute la scène. Il se désole de voir les poules si effrontées et l'âne… si bête !

Les poules se placent autour de l'âne et contemplent leur œuvre. Ulysse est barbouillé de noir, et sa crinière et sa queue sont bourrées de paille hirsute. Le spectacle est plus navrant que remarquable.

Le sourire en coin, les pimbêches font mine d'admirer Ulysse.

—Comme tu es beau ! s'exclame l'une.

—Un vrai pur-sang ! se pâme l'autre.

L'âne Ulysse est ivre de joie.

—Je veux me voir ! Il faut que je me voie !

Odette l'interrompt :

—Un instant, mon grand. Il reste la touche finale.

—La touche finale ? répète l'âne, intrigué.

—Bien sûr ! Jamais, au grand jamais, on ne te prendrait au sérieux avec tes grandes oreilles. Mais j'ai tout prévu. Adeline ?

—Oui, Odette ?

—Apporte-moi les « tu sais quoi », je te prie.

—Avec plaisir, Odette.

Les poules s'écartent afin de laisser

passer Adeline. Droite et digne, Adeline la grise s'amène avec de grands, d'énormes ciseaux brillants.

L'âne frissonne.

— C'est… c'est pour quoi, cet outil ? articule Ulysse.

— C'est tout simple, répond Odette. C'est pour mieux te tailler les oreilles.

— Hein ! Me couper les oreilles ?

— Naturellement. Tu préfères ressembler à un cheval ou à un lapin ? Allez,

ne joue pas les mauviettes. Ce sera vite
terminé. Adeline, donne-moi la chose, s'il
te plaît.

— Voilà, Odette.

La cruelle Odette remonte sur le dos de l'âne. Mais le pauvre Ulysse n'est plus aussi convaincu.

— Euh, attends, Odette. Je… je ne suis pas sûr de… Enfin, tu comprends, ça va faire trop mal !

— Oh, Ulysse ! Ça ne sera pas plus douloureux que lorsque le mouton se fait tondre la laine. Fais-moi confiance. Et ne bouge plus. Je commence par la gauche.

La poule approche les grands ciseaux de l'oreille de l'âne.

— Tu… tu es sûre, Odette ? Et si jamais je change d'idée, est-ce que mes oreilles repousseront ?

Une voix excédée s'élève tout à coup du haut du pommier :

— Non seulement tes oreilles ne repousseront pas, mille noisettes, mais tu gagneras le concours de l'âne le plus idiot du pays !

# Chapitre 4

# Vingt
# contre un !

Tous les yeux se tournent vers l'arbre.
De surprise, Odette en a laissé tomber
ses ciseaux par terre. Elle frémit de colère.

— Qui parle ? Montre-toi !

Manu le velu s'avance au bout de sa
branche.

— Je te connais, Odette la mali-
cieuse, dit l'écureuil. Toujours à te réjouir
du malheur des autres et à comploter de
méchants tours. Je t'ai entendue, hier, te

moquer d'Élaine la brebis qui avait glissé dans la mare. Je vous ai vues cacher les œufs des oies.

Ulysse ne peut pas croire tout ce que raconte l'écureuil.

— Tu te trompes, petit. Les poules sont gentilles.

— Gentilles ? Tu parles ! Tu ne vois donc pas qu'elles cherchent à te ridiculiser ?

S'adressant de nouveau à Odette, Manu demande :

— Quel plaisir y trouves-tu, d'ailleurs ? En humiliant les autres, tu te sens supérieure ?

Odette fixe un instant l'animal de ses yeux mauvais.

— Moi aussi, je te reconnais, sale vermine ! Tu es celui qui vient voler nos grains dès que nous avons le dos tourné.

— Et puis après ! sourit Manu. Je mange vos surplus. Vous êtes bien grasses, mesdames, et vous ne manquez de rien.

— Quel effronté ! s'exclame une poule.

— Il nous insulte en plus ! s'étouffe une autre. On voit qu'il n'est pas d'ici.

Une des poules s'empare d'un morceau de charbon et le lance sur Manu.

Le petit écureuil l'évite en riant.

Mais il n'a pas prévu ce qu'il advient ensuite.

Toutes les poules se mettent à le bombarder de charbons.

Une grêle noire s'abat sur lui. L'écureuil s'échappe vers les plus hautes branches. Un morceau projeté avec vigueur par la grosse Marushka l'atteint derrière la tête.

Manu rate son saut, dégringole de branche en branche et atterrit sur le sol, tout étourdi.

Déchaînées, les poules se précipitent sur lui, le picorant de coups de bec hargneux.

Le pauvre
écureuil se tortille,
tente de se protéger les
yeux. Il sent qu'il ne s'en sor-
tira pas. Les coups l'atteignent au
dos, au ventre.

Soudain, un grognement de colère se mêle au brouhaha. Les poules volent de tous côtés !

C'est Ulysse qui s'est jeté dans la mêlée.

Ulysse qui découvre enfin jusqu'où peut aller la méchanceté des poules. Il donne de grands coups de tête et brait de sa voix puissante :

— Laissez-le tranquille ! Chipies, fripouilles ! Il est seul et vous êtes vingt !

Les poules finissent par se calmer.
Elles s'éloignent en reculant, les yeux
encore pleins de rage.

Étalé de tout
son long, Manu
ne bouge plus.
L'âne approche
son menton de
la minuscule
bête.

— Eh, petit, ça va ? demande doucement Ulysse.

Il frotte son nez contre la joue de l'écureuil. Il perçoit enfin un souffle, une faible voix qui dit :

— Ne me parle pas si près des oreilles, mille noisettes ! Tu me chatouilles !

# Chapitre 5

# Une idée
# de génie

Soigné et veillé par Ulysse, Manu s'est remis de ses blessures au bout de deux jours.

Les animaux des forêts sont solides et braves. Ils n'ont pas le temps de s'apitoyer sur leur sort comme le font souvent les animaux de ferme, choyés et bien nourris.

Tout le monde a été mis au courant de la mésaventure de Manu. Maintenant,

il est toujours le bienvenu à la ferme. Chacun veut partager avec lui, qui sa moulée, qui son fourrage ou ses délicieux grains.

Mais ce que Manu préfère par-dessus tout, c'est lorsque M. Henri, le fermier, dépose un bol de noisettes près de la fenêtre.

Et Ulysse, me direz-vous ? Il s'est trouvé idiot d'avoir failli se laisser couper les oreilles. Ses belles et longues oreilles qui lui donnent si fière allure.

Il s'est juré d'être dorénavant plus réfléchi et moins influençable.

Après s'être débarrassé de son crin artificiel, il est retourné voir la jument Marjorie. Sur le coup, elle ne l'a pas reconnu, tout noir et charbonneux qu'il était encore.

Elle s'est mise à lui parler d'un âne charmant qu'elle avait rencontré le matin et qui avait disparu depuis. Il l'avait tant fait rire avec ses histoires abracadabrantes ! Elle lui a demandé s'il le connaissait.

Ulysse a compris à ce moment qu'il avait peut-être un peu trop pensé à lui

dans cette histoire. Qu'on était censé, quand on aimait et qu'on désirait être aimé, se préoccuper aussi de l'autre.

Ulysse a alors apporté toute son énergie, son charme et son intelligence à faire rire la jeune jument.

Et Marjorie, surprise d'enfin retrouver l'âne, n'en a été que plus heureuse.

Ulysse et Marjorie sont devenus amis. Quand je dis amis, je veux dire *très* amis. Même que je ne serais pas étonnée d'entendre parler de fiançailles d'ici la fin de l'été.

Quant aux poules… Ah, les poules ! M. Henri les a punies. Privées de sorties pour un mois. Confinées au poulailler. On pourrait croire qu'elles se laissent aller à caqueter, à cancaner et à critiquer tout le monde.

Eh non ! Au contraire, elles vivent nuit et jour dans la terreur. Pourquoi, demandez-vous ?

Sachez qu'elles se sont fait jouer un tour, elles aussi.

Une semaine après les fameux évé-
nements, Ulysse a découvert une magni-
fique pierre blanche. D'un ovale parfait,
elle ressemblait à un gros œuf.

Cela a donné à Manu une idée de
génie.

Il a placé le caillou sur une des hautes poutres du poulailler, un endroit

impossible à atteindre pour les poules.

Avant de partir, Manu leur a dit qu'il s'agissait d'un œuf de renard. Et que le petit renardeau, quand il sortirait de sa coquille, serait très affamé !

Depuis ce moment, les poules guettent sans relâche l'horrible coco et n'osent même plus dormir.

Je sais, ce n'est pas joli de chercher à se venger. Mais, entre vous et moi, Odette et sa bande l'avaient un peu mérité, non ?

# Table des matières